Mes histoires d'anniversaire

Ce livre est offert à

....

par

....

Mes histoires
d'anniversaire

3 histoires pour mes 3 ans

FLEURUS

Direction artistique : Élisabeth Hebert assistée d'Aude Gertou
Édition : A Cappella Création
Photograveur : Penez Édition
Impression : Tien Wah Press (Malaisie)
Nº d'édition : 05002
Dépôt légal : avril 2005
ISBN : 2-2150-4536-1

Sommaire

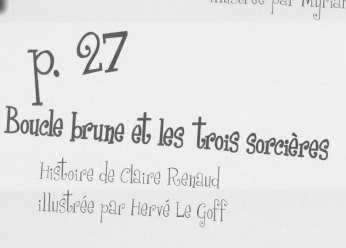

Haut comme trois pommes

Il était une fois **trois petites pommes**
dans un panier en osier.

Trois petites pommes qui s'ennuyaient, s'ennuyaient.

Trois petites pommes qui s'agitaient, s'agitaient,

tant et si bien que... **patatras !**

Le panier se renversa et les trois pommes roulèrent
dans l'herbe verte.

« Aïe ! Aïe ! Aïe ! »

dit Pomme rouge en se frottant la joue.

« Ouille ! Ouille ! Ouille ! » dit Pomme jaune.

«Mais où sommes-nous ?» demande Pomme verte

en cherchant ses lunettes.

Pauvres petites pommes !

Elles ne voient rien du tout.

Elles sont si petites
et l'herbe est si haute.

Dame fourmi

s'approche

d'un petit

pas dansant,

le dos chargé

de grains.

« Bonjour, Dame fourmi, disent les trois pommes.

Pouvez-vous nous dire ce qu'il y a au bout du jardin ? »

« Non, j'ai du travail,

dit la fourmi

en s'éloignant.

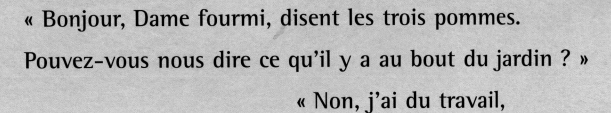

Je suis trop pressée,
désolée ! »

Pauvres petites pommes !

Elles sont si petites
et l'herbe est si haute.

Arrive Monsieur escargot, sa coquille sur le dos.

« Bonjour, Monsieur escargot, disent les trois pommes.

Pouvez-vous nous dire ce qu'il y a au bout du jardin ? »

« Je suis navré, mais je suis bien trop lent »,

répond l'escargot en s'en allant d'un pas tranquille.

Pauvres, pauvres petites pommes !
Elles sont si petites
et l'herbe est si haute.

Monsieur papillon vient
se poser à leurs côtés.

« Bonjour, Monsieur papillon.
Pouvez-nous dire ce qu'il y a
au bout du jardin ? »

« Désolé, j'ai un rendez-vous très important,
dit le papillon en s'envolant.

Un autre jour, peut-être... »

Pauvres,

pauvres,

pauvres
petites pommes !

Elles sont si petites
et l'herbe est si haute.

Dame taupe sort la tête d'une butte de terre.

« Qui est là ? demande-t-elle.

J'entends des voix. »

« Pomme verte, Pomme rouge et Pomme jaune,

disent les trois pommes. Pouvez-vous nous

dire ce qu'il y a au bout du jardin ? »

« Moi, je ne vois rien,

dit Dame taupe. Mais

j'entends tout !

Et je sais ce qu'il y a

au bout du jardin. »

Dame taupe

fait signe aux

trois pommes

de se taire.

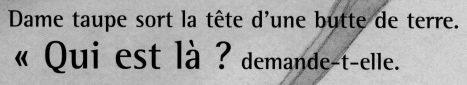

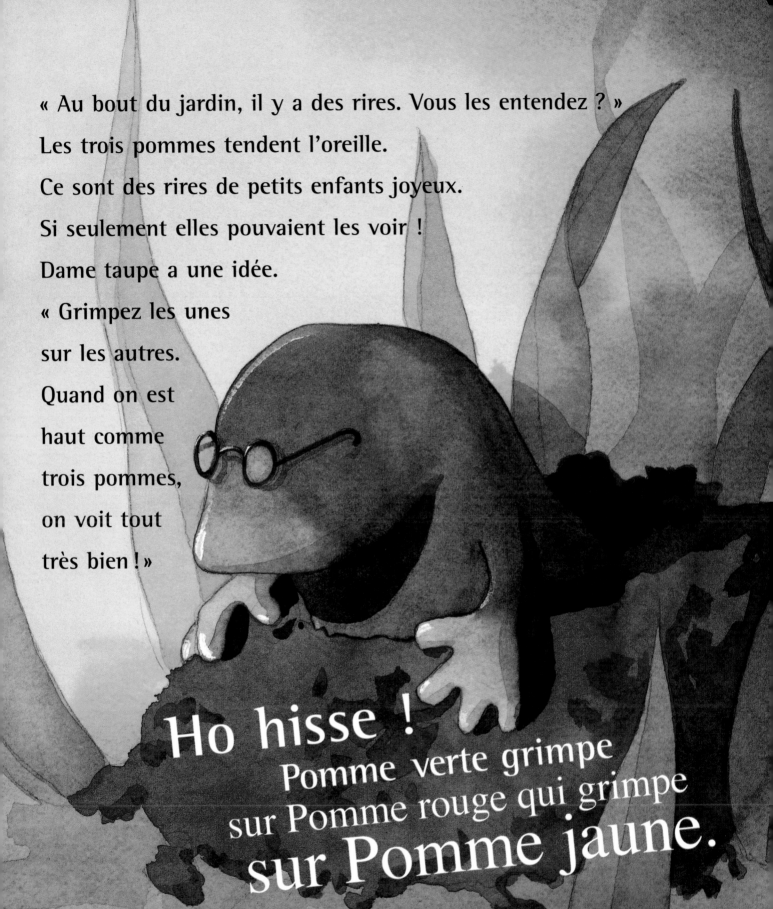

« Au bout du jardin, il y a des rires. Vous les entendez ? »

Les trois pommes tendent l'oreille.

Ce sont des rires de petits enfants joyeux.

Si seulement elles pouvaient les voir !

Dame taupe a une idée.

« Grimpez les unes

sur les autres.

Quand on est

haut comme

trois pommes,

on voit tout

très bien !»

Ho hisse !
Pomme verte grimpe
sur Pomme rouge qui grimpe
sur Pomme jaune.

Pomme verte s'écrie :

« Il y a trois petits enfants. Ils ouvrent des cadeaux.

Il y a un gros gâteau. »

« À nous ! À nous ! » trépignent

Pomme jaune et Pomme rouge.

Les pommes sont tellement

agitées que... badaboum !

Elles tombent et roulent

jusqu'aux pieds des petits enfants.

« Comme c'est drôle, dit la maman.

Trois petites pommes

pour mes trois petits bonshommes

hauts comme trois pommes.

Bon anniversaire,
mes chéris ! »

Les trois petites poules

Lundi matin,

deux poulettes, **cot cot codet,**

couvent leur œuf en soupirant :

« On s'ennuie ici ! C'est pas drôle la vie ! »

Soudain, une troisième poulette arrive, guillerette,

pour couver son bel œuf, **tout neuf.**

Elle s'installe à côté des deux autres

et **papoti, papota !**

Les trois poulettes papotent et rient !

L'une d'entre elles dit : « On pourrait devenir amies ! »

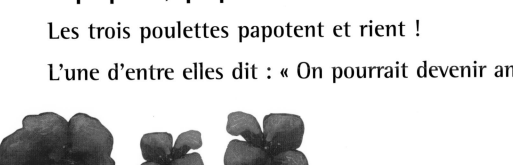

17

Mardi matin,

dans un grand champ de blé,

les deux poulettes, cot cot codet,

tirent un énorme sac de grains. « Ho ! hisse... »

Elles se lamentent : « C'est trop lourd !

On n'y arrivera jamais. »

Mais soudain,
arrive la troisième
poulette, guillerette.

Elles tirent le gros sac toutes les trois :

« Une, deux, trois, ho ! hisse... »

Et le sac devient léger...

À trois, elles ont vite fait de le transporter

jusqu'au poulailler.

Décidément, être trois, c'est bien mieux, ma foi !

19

Mercredi matin,

dans la cour de la ferme, les deux poulettes, cot cot codet, répètent un joli morceau de musique.

La première joue de la flûte, la seconde du tambourin.

Quelle catastrophe ! C'est la cacophonie !

De gros nuages noirs annoncent la pluie.

Mais devinez !

La troisième poulette arrive, guillerette,

et joue le chef d'orchestre :

« Une, deux, trois ; do, ré, mi... »

Une merveilleuse musique flotte dans le vent.

Décidément,
être trois,
c'est bien mieux,
ma foi !

Jeudi matin,

nos deux poulettes, pleines d'ambition,

construisent un grand restaurant trois étoiles.

Mais à midi, elles en sont encore aux fondations !

Découragées, elles laissent tomber tous leurs outils :

« Ce n'est pas la peine ! **On n'aura jamais fini !** »

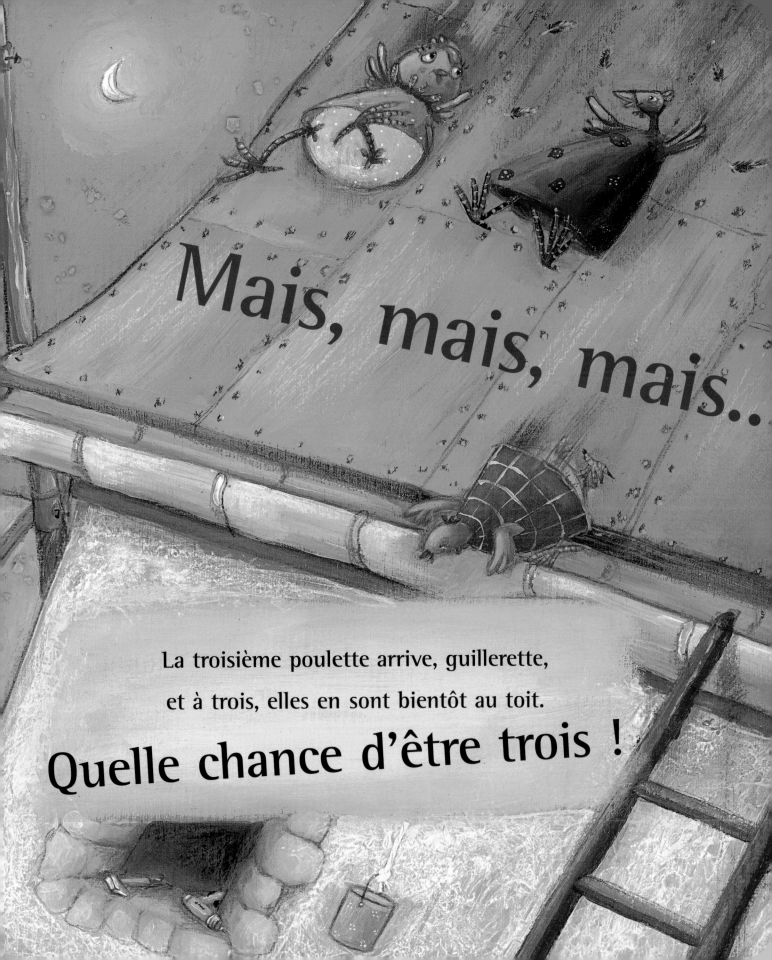

Mais, mais, mais...

La troisième poulette arrive, guillerette,
et à trois, elles en sont bientôt au toit.

Quelle chance d'être trois !

Vendredi matin,

les trois poulettes sont devenues de vraies amies.

Un joli panier sous le bras,

elles s'en vont cueillir les fraises des bois.

Samedi,
c'est le grand soir :

l'ouverture du restaurant trois étoiles.

Sur le pas de la porte,

les trois poulettes accueillent la famille canard :

monsieur, madame et les trois canetons.

Au menu : grains de blé, fraises des bois
et grand concert sous les étoiles.

Dimanche matin,

les trois amies ont bien mérité de faire ce qui leur plaît :

elles dansent la ronde autour d'un drôle de lapin.

Un lapin en chocolat !

Cric crac croc : elles se régalent toutes les trois.

Ainsi font font font

Trois petits tours et puis s'en vont...

Boucle brune et les trois sorcières

Boucle brune était une petite fille aux cheveux noirs et bouclés.

Elle habitait une jolie maison dans la forêt

avec son papa et sa maman.

Sa maman lui avait interdit

d'aller se promener toute seule dans les bois.

Mais un jour,
elle alla quand même cueillir
des fleurs dans la forêt.

Une jonquille,
deux jonquilles,
trois jonquilles,

un beau bouquet de jonquilles
pour maman !
Quand elle voulut
rentrer à la maison,
elle ne retrouva
plus son chemin.

Elle marcha, marcha, des heures durant.

À la nuit tombée,

elle aperçut entre les arbres
une vieille bicoque
abandonnée.

Elle poussa la porte qui grinça et entra.

C'était un beau **bazar**,

ça sentait bizarre,

des cafards
couraient partout,
des rats sortaient
de tous les trous.

29

Elle vit trois chaudrons de potion magique

devant la cheminée :

un **gros**, un **moyen**, un petit.

Elle s'approcha à petits pas.

Elle goûta la potion

du grand chaudron :

trop d'yeux de **crapaud**.

Elle goûta la potion

du moyen chaudron :

trop d'écailles de **serpent**.

Elle goûta la potion

du petit chaudron

et la trouva juste à son goût.

Elle termina le chaudron.

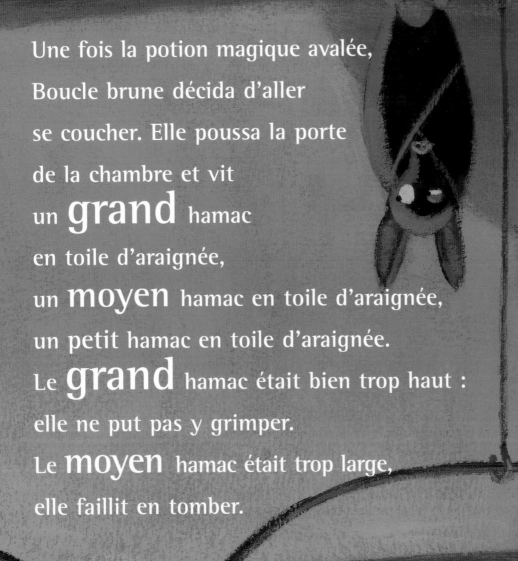

Une fois la potion magique avalée,
Boucle brune décida d'aller
se coucher. Elle poussa la porte
de la chambre et vit
un **grand** hamac
en toile d'araignée,
un **moyen** hamac en toile d'araignée,
un petit hamac en toile d'araignée.
Le **grand** hamac était bien trop haut :
elle ne put pas y grimper.
Le **moyen** hamac était trop large,
elle faillit en tomber.

Le petit hamac était juste à sa taille :
elle se coucha et s'endormit.

Mais bientôt,
les trois sorcières
qui habitaient la bicoque
rentrèrent chez elles.
Immédiatement,
la grand–mère
sorcière cria de
sa grosse voix :

« Quelqu'un a goûté
ma potion magique ! »

La maman sorcière dit
de sa **moyenne** voix :
« Quelqu'un a soufflé
sur ma potion ! »
Et la petite sorcière ajouta
de sa petite voix :

« Quelqu'un a mangé
toute ma potion ! »

En colère, les trois sorcières cherchèrent partout le coupable.

En entrant dans la chambre, la grand-mère sorcière dit :

« Quelqu'un a touché à mon hamac ! »

Et la maman sorcière :

« Quelqu'un a essayé mon hamac ! »

Et la petite sorcière cria :

« Quelqu'un dort dans mon hamac ! »

Les cris réveillèrent Boucle brune
qui s'enfuit en courant.
La grand-mère sorcière lui cria :
« Bien fait, nous lui avons causé une belle frayeur ! »
La maman sorcière :
« Bien fait, elle va être punie par sa maman. »
Et la petite sorcière :
« Prends le petit chemin à gauche,
tu retrouveras ta maison. »

Et Boucle brune rentra chez elle,

où ses parents l'attendaient.

Ils étaient si contents de la revoir

qu'ils oublièrent de la gronder !

« Tout de même, se dit Boucle brune,

elle était bien gentille

cette petite sorcière

de m'indiquer le chemin.

Je lui ai pourtant mangé

toute sa bonne potion magique

à la bave
de limace ! »

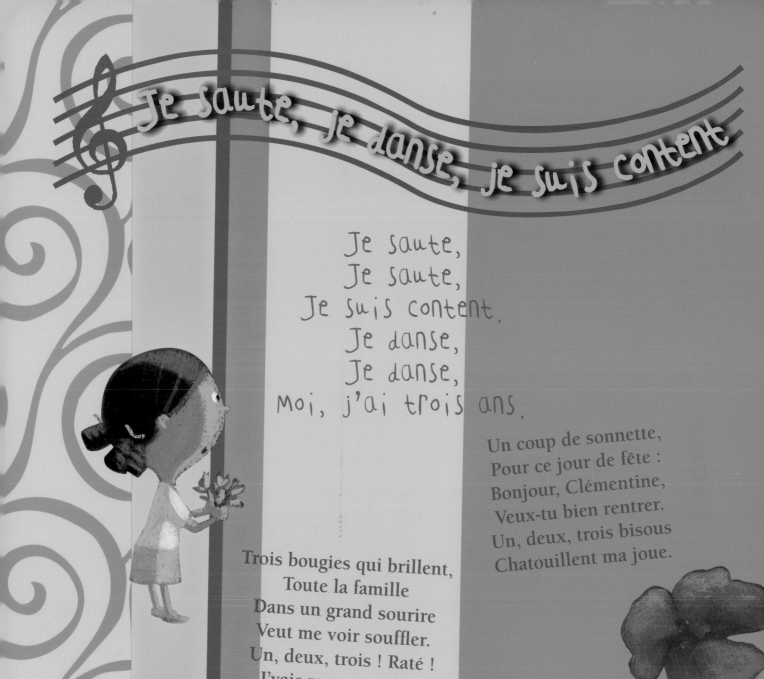

Je saute, je danse, je suis content

Je saute,
Je saute,
Je suis content.
Je danse,
Je danse,
Moi, j'ai trois ans.

Un coup de sonnette,
Pour ce jour de fête :
Bonjour, Clémentine,
Veux-tu bien rentrer.
Un, deux, trois bisous
Chatouillent ma joue.

Trois bougies qui brillent,
Toute la famille
Dans un grand sourire
Veut me voir souffler.
Un, deux, trois ! Raté !
J'vais recommencer.

Mon cadeau magique
C'est un p'tit tricycle
Pour la promenade
Dans le jardin public.
Un, deux, trois ! Partez !
Qui va m'rattraper ?